CE1

FRANÇAIS

Mandarine

LANGAGE ORAL • LECTURE ET COMPRÉHENSION • ÉCRITURE • ÉTUDE DE LA LANGUE

GUIDE PÉDAGOGIQUE

Sous la direction de **Françoise Lagache**
professeure agrégée de Lettres Modernes

Emeline Berthe
Professeure des écoles

Aude Hoppeler
Maitre formatrice

Lucie Lepeigné
Professeure des écoles

Marion Poulain
Professeure des écoles

Chloé Saint-Pol
Professeure des écoles

Clémence Touzard
Professeure des écoles

EXTRAIT

Format final de l'ouvrage : 21 x 29,7 cm

Cette publication est conforme à la nouvelle orthographe
www.orthographe-recommandee.info

Cet ouvrage est rédigé avec l'orthographe
recommandée par le ministère de l'Éducation nationale.

Hatier

ISBN : 301-0-000-08271-2

SOMMAIRE DE L'EXTRAIT

PARTIE I. LANGAGE ORAL, LECTURE ET COMPRÉHENSION, ÉCRITURE

PARTIE II. ÉTUDE DE LA LANGUE

PARTIE I. LANGAGE ORAL, LECTURE ET COMPRÉHENSION, ÉCRITURE

A. L'ORGANISATION DES CHAPITRES

Cinq thèmes et 10 chapitres

Mandarine CE1 organise les activités d'oral, de lecture et d'écriture en 10 chapitres, deux par période. Les deux chapitres d'une même période sont en lien avec le même thème : *Les animaux – La nourriture – Les sorcières – La nature – Les voyages.*

► Voir le sommaire, pages 2-3 du manuel.

Des groupements de textes et des œuvres intégrales

Dans chaque période, *Mandarine CE1* propose :
– soit deux groupements de textes ;
– soit un groupement et une œuvre intégrale.
Les groupements de textes permettent aux élèves de rencontrer des genres variés.

Des illustrations qui renforcent le sens des textes

Les textes de *Mandarine CE1* sont illustrés par les meilleurs illustrateurs. Certains textes sont accompagnés des illustrations tirées du livre d'origine :
– Catherine Proteaux page 32 ;
– Rébecca Dautremer page 44 ;
– Gwendal Le Bec page 46 ;
– Nicolas Hubesch pour *La Sorcière du TGV* pages 51 à 58 ;
– J. W. Verona et J. Verona pages 62 et 63 ;
– Marie Caudry page 78 ;
– William Steig pages 80-81 ;
– Joann Sfar pour *L'Ile aux pirates* pages 81 à 104.
L'accompagnement proposé dans le *Guide pédagogique* invite toujours à tirer le meilleur parti de ces illustrations.

Des pages qui travaillent les habiletés en lecture

Chaque chapitre se termine par une page qui renforce les habiletés en lecture : travail de la fluence, lecture de mots inventés, mise en voix de textes présentant des particularités…
Ces pages offrent également de multiples occasions de travailler la copie, l'orthographe, le vocabulaire.

► Voir un exemple d'exploitation de ces pages, pages 12-13 de l'*Extrait du Guide pédagogique*.

Période et thème	Groupements de textes	Œuvres intégrales
	**1 histoire illustrée** complète **1 fable** complète **1 page documentaire** complète	**1 conte** *Les Musiciens de Brême* des frères Grimm
	**GROUPEMENT 1** **1 page documentaire** complète avec **une recette** 1 scène de **théâtre** 1 extrait de **roman** **GROUPEMENT 2** **3 bandes dessinées** complètes	
	1 extrait de **conte** 1 extrait de **roman** 1 scène de **théâtre**	**1 roman** *La Sorcière du TGV* d'Agnès Bertron-Martin
	**GROUPEMENT 1** 1 extrait d'**album** 1 extrait de **conte** **1 page documentaire** complète **GROUPEMENT 2** **5 poèmes**	
	**1 lettre** extraite d'un **album** 1 extrait de **roman** 1 extrait de **conte**	**1 roman** *L'Ile aux pirates* d'Arnaud Alméras

B. L'ORGANISATION D'UNE DOUBLE PAGE

Les compétences travaillées dans chaque rubrique

JE DÉCOUVRE UNE PIÈCE DE THÉÂTRE
- Repérer le genre du texte.
- En saisir quelques caractéristiques.

ENTRE LES LIGNES
- Percevoir et formuler le sens implicite du texte.

VOCABULAIRE POUR MIEUX LIRE
- Trouver le sens d'un mot par le contexte.
- Percevoir les relations entre les mots.
- Catégoriser les relations entre les mots.

J'ÉCRIS
- Consolider par l'écriture les acquis sur le genre du texte, son thème ou sur les personnages.

JE COMPRENDS
- Comprendre le texte que ce soit globalement ou en détail.
- Expliciter sa compréhension du texte.

STRATÉGIE
- Mettre en œuvre une stratégie particulière.

- Prolonger et approfondir sa compréhension du texte par une activité d'oral ou d'écriture.

Je découvre une pièce de théâtre

1. Comment sait-on quel personnage parle ?
2. À quoi servent les passages en italique ?
3. À qui Blaireau s'adresse-t-il aux lignes 10-11 ?

Vocabulaire pour mieux lire

4. ☆ Relève les mots en rapport avec les odeurs.
5. Donne un synonyme du verbe *touiller* (l. 6) en langage courant.

Je comprends

6. Qui sont les personnages de la pièce ?
7. Où Renard et Blaireau préparent-ils la soupe aux cailloux ? Justifie ta réponse.
8. Qui a eu l'idée de la soupe aux cailloux : Renard ou Blaireau ?
9. **a.** Que donne Renard pour réaliser la recette de la soupe aux cailloux ?
   b. Que donne Blaireau ?
   c. Que penses-tu de cette répartition ?
10. STRATÉGIE : Je fais des liens.
    Blaireau croit-il vraiment qu'il va manger la soupe aux cailloux avec Renard ?
    Justifie ta réponse.

Entre les lignes

11. ☆ Dans cette histoire, Renard considère Blaireau comme :
    un bon cuisinier
    un ami | un idiot

J'écris

12. Écoute la fin de l'histoire.
    Imagine la réaction de Blaireau après cette scène.
    Écris les paroles qu'il adresse à Renard.

Atelier — MIMER UNE DIDASCALIE

À DEUX Relisez la didascalie des lignes 5 à 8, et mimez la scène.

COMMENT FAIRE ?

ÉTAPE 1 Sur le texte photocopié, tracez une barre après chaque action réalisée par un personnage (par exemple, tracez-en une après « maison »).

ÉTAPE 2 Trouvez un objet pour représenter le chaudron. Prenez un crayon pour la cuillère.

ÉTAPE 3 Action par action, mimez la scène.

ÉTAPE 4 Entrainez-vous à donner à votre représentation l'air le plus naturel possible.

3. DRÔLES DE MENUS ! | 31

C. LES TEXTES À LIRE

› Dans les groupements de textes

• **Chaque texte comporte une vingtaine de lignes, parfois moins, notamment lorsqu'il s'agit de genres que les élèves découvrent : fable ou scène de théâtre, par exemple.**

• ***Mandarine CE1* propose de nombreuses pages qui allient le texte et l'image :**
– **histoire illustrée** : *Le plus beau des hamacs*, page 10 ;
– **extraits d'album** : *Dans la jungle*, page 62 : *Lettre de l'Ourse à l'Oiseau*, page 78 ;
– **pages documentaires** : *Une vie de chat*, page 14 ; *Gâteaux à croquer*, page 28 ; *La vie d'un arbre*, page 66 ;
– **bandes dessinées** : *Les pâtes de l'angoisse*, page 36 ; *C'est l'intention qui schtroumpfe*, page 38 ; *Bon appétit*, page 40.

› Dans les œuvres complètes

Nous avons fait le choix de proposer dans le manuel trois œuvres complètes d'une certaine ampleur.

• **Le texte des *Musiciens de Brême*** est découpé en 5 parties :
– 6 lignes pour la page d'entrée dans le conte ;
– 4 épisodes d'une vingtaine de lignes chacun.

Chaque partie du conte est accompagnée de son questionnaire.

• **Le texte de *La Sorcière du TGV*** est découpé en 3 parties :
– 10 lignes pour la page d'entrée dans le roman ;
– 60 lignes pour le premier épisode ;
– 75 lignes pour le deuxième.
Chaque partie est accompagnée d'un questionnaire.

• **Le texte de *L'Ile aux pirates*** est découpé en 5 parties :
– 10 lignes pour la page d'entrée dans le roman ;
– 50 lignes pour le premier épisode ;
– 59 lignes pour le deuxième ;
– 75 lignes pour le troisième ;
– 79 lignes pour le quatrième.
Chaque partie est accompagnée d'un questionnaire.

Pour ces deux romans à lire en intégralité, étant donné la longueur des épisodes, il est préconisé :
– de ne lire que 20 à 30 lignes **par séance** ;
– de **répartir les questions** en fonction de la portion de texte étudié dans la séance.

► **Voir un exemple page 15 de cet *Extrait*.**

Le *Guide pédagogique* proposera une mise en œuvre détaillée, séance par séance.

D. LES PAGES « OUTILS »

À la fin du manuel, sont regroupées des pages dont l'usage est conseillé dès le début de l'année.

› Mes stratégies pour comprendre

4 stratégies sont identifiées comme opérationnelles dès le CE1 :
– Je comprends le sens d'un mot inconnu ;
– Je cherche dans le texte ;
– J'utilise mes connaissances ;
– Je fais des liens.

La stratégie *Je fais un film dans ma tête* est utilisée à plusieurs reprises sans faire l'objet d'une fiche.

Il est conseillé de travailler ces stratégies le plus tôt possible dans l'année pour que les élèves puissent transférer ce qu'ils ont appris sur d'autres textes.

Le *Guide pédagogique* développe régulièrement ces stratégies.

► **Voir un exemple, page 18 de cet *Extrait du Guide pédagogique*.**

› Fiches Méthode

4 démarches méthodologiques sont identifiées comme opérationnelles dès le CE1 :
– Présenter un livre (lu en autonomie) ;
– Lire un passage à voix haute ;
– Dire un poème de mémoire ;
– Écrire un dialogue.

Il est conseillé de travailler ces méthodes le plus tôt possible dans l'année pour que les élèves puissent les appliquer à différentes occasions.

5 MÉCHANTES ET GENTILLES SORCIÈRES

Genres travaillés : conte – roman – théâtre

Le thème de la sorcière

La période 3 est consacrée au thème des sorcières :

– Le chapitre 5 propose un groupement de textes appartenant à des genres variés (le roman, le conte-album, la pièce de théâtre) pour faire découvrir aux élèves la fécondité de la figure de la sorcière dans la littérature.

– Le chapitre 6 propose un parcours dans un roman donné en entier dans le manuel (voir p. 14 de l'extrait).

Le thème de la sorcière dans la littérature

La sorcière appartient au genre du conte avant d'investir celui du roman pour la jeunesse (cf. bibliographie ci-dessous). Travailler sur les sorcières, c'est faire comprendre aux élèves que la littérature possède un certain nombre de personnages-types qui traversent les cultures pour réapparaitre sous des traits et dans des rôles différents.

Le choix des textes

Le chapitre permet aux élèves de rencontrer quatre sorcières très différentes.

– LISTES DE RÉFÉRENCE Bella Dona, la sorcière du **roman** de Dick King-Smith, présente toutes les caractéristiques du personnage-type tout en se montrant raisonnable dans ses propos (p. 43).

– LISTES DE RÉFÉRENCE Babayaga, sortie du **folklore russe**, fait montre de sa légendaire duplicité dans l'extrait de la page 44 : gentillesse apparente et cruauté intrinsèque.

– La sorcière du **roman** *La Soupe à rétrécir* (p. 46-47) présente des points communs avec Babayaga même si l'apparence que lui a donnée l'illustrateur est celle d'une dame inoffensive qui habite le monde d'aujourd'hui.

– Flemmarde, la sorcière de la **pièce de théâtre** de Gérard Moncomble, *Un fameux coup de balai*, est une écervelée bien trop paresseuse pour faire du mal à qui que soit (p. 48).

bibliographie

> Le chapitre est l'occasion de mettre à la disposition des élèves un réseau d'œuvres dont le personnage principal est une sorcière.

– Les frères Grimm, *Hansel et Gretel* ; *La Belle au bois dormant*.

– Babette Cole, *J'ai un problème avec ma mère*, Gallimard Jeunesse, 1997.

– Nathalie Kuperman et Amélie Graux, *Zélie et Poison*, Folio Cadet, Gallimard Jeunesse, 2016.

– Évelyne Reberg et Mérel, *Ma mémé sorcière*, J'aime lire, éditions Bayard, 2017.

– Nicolas de Hirsching et Églantine Ceulemans, *La Sorcière habite au 47*, J'aime lire, éditions Bayard, 2018.

– Brigitte Minne et Carll Cneut, *La Fée sorcière*, Pastel, 2017.

– Hiawyn Oram et Ruth Brown, *La Sorcière aux trois crapauds*, Folio Cadet, Gallimard Jeunesse, 2010.

Les objectifs du chapitre

Déroulé du chapitre	Objectifs
POUR COMMENCER p. 43	– Faire entrer les élèves dans l'univers des sorcières, par le texte et par l'image
LIRE ET COMPRENDRE *Dans la maison de Babayaga* p. 44-45	– Faire découvrir aux élèves le personnage de Babayaga, sorcière du conte traditionnel russe – Les aider à comprendre un texte qui comporte une part d'implicite – Les amener à entrer successivement dans le personnage de Babayaga et dans celui de Miette pour saisir leurs motivations
LIRE ET COMPRENDRE *Le piège* p. 46-47	– Faire découvrir aux élèves une sorcière ancrée dans le monde contemporain tout en ayant les caractéristiques du personnage-type – Faire saisir aux élèves la voix (texte à la 1re personne) et le point de vue (celui de Léa) – Amener les élèves à manifester leur compréhension par la lecture à voix haute – Faire écrire des textes courts et ludiques
LIRE ET COMPRENDRE *De l'ordre !* p. 48-49	– Faire découvrir aux élèves une sorcière drôle, personnage unique d'une scène de théâtre – Les amener à réinvestir des connaissances sur le fonctionnement du texte de théâtre – Les amener à manifester leur compréhension du texte par le jeu théâtral (Atelier)
LIRE ET JOUER AVEC LES MOTS p. 50	– Consolider les compétences de lecture des élèves – Les amener à réinvestir leurs connaissances sur les sorcières et à consolider leur vocabulaire par le jeu avec les mots

POUR COMMENCER PAGE 43

Compétences – Caractériser une sorcière par le texte et par l'image. – Avec l'aide de l'enseignant, renseigner une carte mentale sur les sorcières. – Lire et comprendre un court texte mettant en scène une sorcière.	
Déroulement	**Séance 1 [30 min]** Découverte de la page – Repérage des titres – Exploration de l'illustration – Création d'une carte mentale sur les sorcières **Séance 2 [30 min]** Lecture de l'extrait – Compréhension – Réponse aux questions
Matériel	Le manuel – Une grande feuille qui servira d'affiche pour la carte mentale

ÉLÉMENTS D'ANALYSE

▪ L'illustration

Très riche, l'illustration d'Irène Bonacina offre un premier portrait de sorcière avec ses attributs traditionnels :

– traits physiques : gros nez, menton en galoche, cheveux gris, ongles longs ;
– vêtements : chapeau pointu, couleur noire, chaussons ;
– objets : fioles et+ flacons, balai (ici une simple balayette), poêle à charbon.

L'illustration amorce le thème des animaux, très présents auprès des sorcières : grenouilles et crapauds, chats, araignées, souris, chouette.

▪ L'auteur

Dick King-Smith est né en 1922 en Angleterre. Dès son enfance, il se passionne pour les animaux et, après la Seconde Guerre mondiale, reprend la ferme familiale. Après la faillite de sa ferme, Dick King-Smith exerce de nombreux métiers avant de devenir instituteur. À partir de 1978, il écrit des histoires pour les enfants, souvent pour défendre la cause des animaux. Son roman le plus célèbre (il en a écrit une centaine) est *Babe, le cochon devenu berger*, devenu un succès cinématographique. Dick King-Smith est mort en 2011.

▪ Le roman et l'extrait LISTES DE RÉFÉRENCE

Le roman de Dick King-Smith, ***Les 9 vies d'Aristote***, fait partie des listes de référence : on y perçoit le talent et l'humour du conteur. L'extrait offre un premier portrait de sorcière, plutôt sympathique. Il est en accord parfait avec l'illustration.

Séance 1

▪ Exploration de la page

Les élèves observent la page en silence.
– Leur demander ce qu'ils ont remarqué.
– Leur demander de lire les titres : indication du thème, gros titre, sous-titre.
– Les amener à dire que le gros titre est celui du chapitre et pas seulement de la page (ils peuvent feuilleter les pages suivantes pour le confirmer).
– Leur demander s'ils connaissent les genres cités dans le cartouche bleu.
– Les amener à dire ce qu'ils savent sur les sorcières, s'ils en connaissent une en particulier, etc.

▪ Exploration de l'illustration

- Les élèves décrivent la sorcière. Faire ressortir des caractéristiques : le chapeau, le gros nez, les crapauds dans la poche, le chat... Les noter sur une affiche.
- Ils décrivent l'environnement de la sorcière. Lister sur l'affiche les éléments traditionnellement associés aux sorcières : les araignées, la chouette, les chats, les souris, les fioles et les flacons, les crapauds, le balai...

▪ Création d'une carte mentale des caractéristiques de la sorcière avec les élèves.

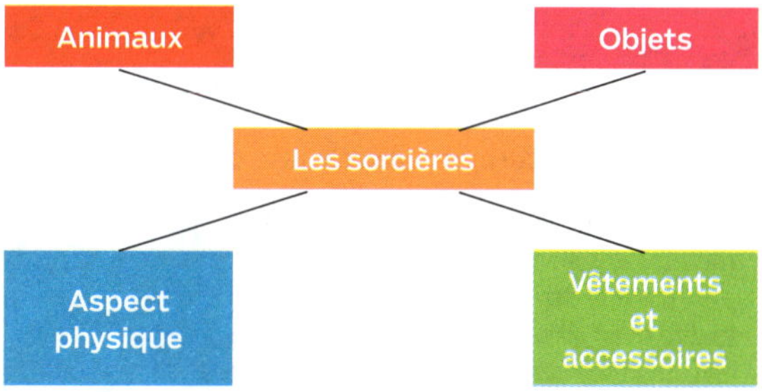

Cette carte mentale sera enrichie au fil de l'étude du chapitre. Elle peut également servir de glossaire des mots-clés liés à l'univers des sorcières.

Séance 2

Différenciation En amont de la séance, préparer la lecture de l'extrait avec 3 élèves (un par phrase). Ces élèves seront sollicités après la lecture silencieuse.

▪ Lecture de l'extrait

- Lire une première fois l'extrait aux élèves.
- Ils le relisent silencieusement. Leur demander le nombre de phrases (3).
- Les élèves relisent l'extrait à voix haute à trois, un par phrase (solliciter les élèves qui ont préparé la lecture).

■ **Traitement des questions**

• Demander aux élèves de répondre à la première question, *Qui est Bella Dona ?*

• Leur demander ensuite de répondre à la deuxième question : *Relève tous les indices qui le disent*. Clarifier le sens du mot ***indices***.

• Les élèves relèvent les expressions qui décrivent la sorcière. Comparer avec la carte mentale, éventuellement la compléter.

■ **Relecture de l'extrait par trois autres élèves.**

DANS LA MAISON DE BABAYAGA PAGES 44-45

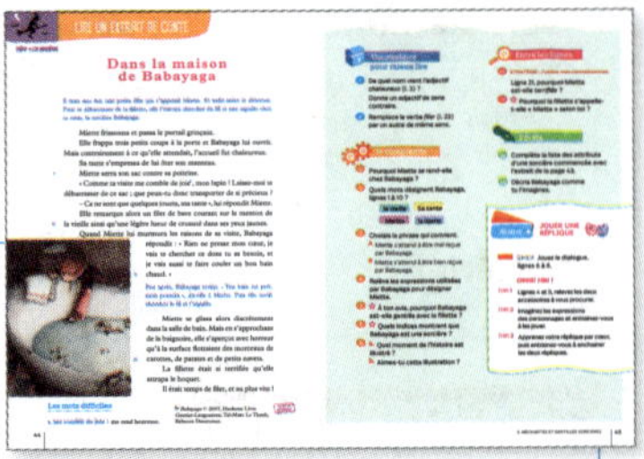

Compétences

– Comprendre un extrait d'album découvert selon diverses modalités.
– Découvrir une figure traditionnelle du genre du conte, la sorcière Babayaga.
– Comprendre la situation des personnages et expliciter leurs motivations.
– **À DEUX** Jouer une réplique.

Déroulement	**Séance 1 [20 min]** Écoute de l'extrait lu par l'enseignant – Compréhension globale **Séance 2 [35 min]** Lecture par l'enseignant du chapeau et des lignes 1 à 15 – VOCABULAIRE POUR MIEUX LIRE 1 – JE COMPRENDS 3, 4, 5, 6 – Relecture par les élèves **Séance 3 [35 min]** Lecture par l'enseignant du résumé intermédiaire et des lignes 16 à 23 – VOCABULAIRE POUR MIEUX LIRE 2 – ENTRE LES LIGNES 10 et 11 – JE COMPRENDS 7, 8 – J'ÉCRIS 12 – Écoute de l'extrait lu par l'enseignant – JE COMPRENDS 9 **Séance 4 [30 min]** J'ÉCRIS 13 – Présentation de la mise en voix de la réplique de Babayaga (Atelier).
Matériel	Le manuel – Un manteau et un sac pour l'atelier

ÉLÉMENTS D'ANALYSE

■ **Babayaga appartient au monde slave et sa figure irrigue la littérature populaire russe dès le XIXe siècle.**

Dans les langues slaves, « baba » signifie la femme, la mère, et « yaga » pourrait venir d'un mot sanscrit qui désigne le serpent. Le rapport entre Babayaga et l'animalité est d'ailleurs constant. La sorcière vit au cœur de la forêt comme bien des divinités païennes et sa maison, perchée sur une ou des pattes de poulet, n'a pas de fenêtre comme les abris des animaux. Babayaga est la maitresse des bêtes sauvages.

■ **Dans la version de Taï-Marc Le Thanh chez Gautier-Languereau**, Babayaga n'a qu'une seule dent ce qui ne l'empêche pas de devenir ogresse pour se venger des moqueries dont elle a été victime lorsqu'elle était enfant. **Dans l'extrait tiré de cet album**, Babayaga est une ogresse dévoreuse d'enfants, une sorcière manipulatrice qui attire Miette avec des paroles rassurantes pour mieux la piéger.

■ **L'auteur et l'illustratrice**

Taï-Marc Le Thanh est un écrivain français né en 1967. Dès ses débuts, il collabore avec **Rébecca Dautremer**, l'illustratrice de l'album. Ses illustrations, dominées par le rouge du sang, sont étranges et inquiétantes. Les angles de vue mettent en valeur tantôt la monstruosité de la sorcière, tantôt la fragilité de Miette.

Séance 1

■ **Écoute de l'extrait**

• Lire aux élèves le chapeau en bleu, en haut de la page 44.

• Vérifier que tous les élèves ont bien compris le schéma des personnages (éventuellement, l'écrire au tableau) :
– Miette = une petite fille
– La belle-mère de Miette (qui déteste Miette) = la sœur de Babayaga
– Babayaga = la tante de Miette

• Lire l'extrait en entier.

■ **Compréhension globale**

• S'assurer de la compréhension globale : demander aux élèves ce qu'ils ont compris.
– Miette a été envoyée chez sa tante Babayaga par sa belle-mère.
– Elle a été très bien accueillie.
– Mais Miette s'est aperçue que Babayaga voulait la faire cuire dans une soupe.
– Elle a décidé de s'enfuir.

Séance 2

Différenciation Traiter la question 1 de vocabulaire en amont avec deux ou trois élèves. Ils seront sollicités prioritairement.

Relecture partielle

Relire aux élèves **le chapeau en bleu ainsi que les lignes 1 à 15**.

VOCABULAIRE POUR MIEUX LIRE

Les élèves qui ont préparé les réponses les partagent avec leurs camarades.

1 L'adjectif ***chaleureux*** vient du nom *chaleur*. Au tableau, entourer le digramme « eu » commun au nom et à l'adjectif. **Mot de sens contraire** : *froid (l'accueil fut froid)*.

JE COMPRENDS

3 La réponse est formulée **oralement**. Elle permet de vérifier la prise en compte du chapeau : Miette se rend chez Babayaga pour chercher du fil et une aiguille.

4 et 5 Demander aux élèves de répondre **au brouillon par écrit. Mettre les réponses en commun au tableau** en obligeant les élèves à retrouver les mots dans le texte et à donner les lignes.

4 Mots qui désignent Babayaga : ***Sa tante*** (l. 4) [repris par *ma tante* à la ligne 8] ; ***la vieille*** à la ligne 10 (écrire le mot au tableau et insister sur la relation graphèmes - phonèmes).

5 La phrase qui convient est la **A**. Les élèves doivent justifier leur choix oralement en relevant l'expression *Mais contrairement à ce qu'elle attendait* à la ligne 3.

Expliciter avec les élèves le raisonnement qui permet de répondre correctement :

– Miette a peur en arrivant chez Babayaga (*Miette frissonna et passa le portail grinçant*, ligne 1).
– Pourtant Babayaga la reçoit chaleureusement.
– *contrairement* signifie *au contraire*, c'est-à-dire l'inverse de (ce qu'on croit).

Donc, au contraire de la gentillesse manifestée par Babayaga, Miette s'attendait à être mal reçue.

6 **À DEUX** Les élèves répondent par écrit.
La question prépare la réponse à la question 7 : Babayaga est d'autant plus « gentille » avec Miette qu'elle projette de la manger.
– Ligne **6** : *mon lapin* ; ligne **12** : *mon cœur*.
Mettre les réponses en commun.

Relecture des lignes 1 à 15 à voix haute par les élèves.

ATELIER

- Aider deux binômes d'élèves à préparer la mise en scène du dialogue des lignes 6 à 8.
- Donner trois critères de réussite :

– comportement méfiant de Miette ;
– utilisation des accessoires ;
– comportement chaleureux de Babayaga, ton sur lequel sont prononcées ses paroles.

- Les élèves apprennent leur réplique et répètent leur prestation avant la présentation à la classe en séance 4.

Séance 3

Relecture partielle

Relire aux élèves le texte intermédiaire en bleu ainsi que les lignes 16 à 23.
Les élèves les relisent silencieusement.

VOCABULAIRE POUR MIEUX LIRE

2 Le verbe ***filer*** est polysémique. Il peut désigner l'action de transformer de la laine ou du coton en fil. Ici, le verbe signifie ***s'en aller rapidement, droit devant soi***.

ENTRE LES LIGNES

10 Traiter tout de suite cette question car elle aide les élèves à répondre aux questions 7 et 8 de *Je comprends*. Oralement, amener les élèves à expliciter ce que comprend Miette en voyant les morceaux de carottes, de pommes de terre et de navets à la surface de la baignoire : Babayaga ne lui prépare pas un bain mais se prépare une soupe dont elle doit être l'ingrédient carné !

La stratégie est prise pour exemple dans la **Fiche Stratégie 3 *J'utilise mes connaissances*, p. 184 du manuel**.

11 Les élèves déduiront de la réponse à la question précédente que le mot *miette* désignant un petit morceau de pain donc un aliment, le nom de *Miette* lui a été donné dans le conte parce qu'elle est destinée à devenir un aliment pour la sorcière.

JE COMPRENDS

7 • Demander aux élèves de répondre oralement et intuitivement.

- Les aider ensuite à trouver les informations pertinentes pour justifier leur réponse.

8 et 12 Procéder oralement, puis compléter la carte mentale élaborée à partir du texte d'ouverture, page 43.

Nouvelle écoute du texte complet

Les élèves écoutent à nouveau le texte lu par l'enseignant en suivant sur leur manuel.

9 Les réponses sont partagées à l'oral.

Séance 4

ATELIER

Les deux binômes qui ont préparé la mise en scène du dialogue la présentent à la classe.

Écrire au tableau les critères de réussite.

13 Les élèves écrivent leur description de Babayaga. Pour les aider, on peut leur proposer des images de la sorcière en leur montrant l'album (certaines images sont visibles sur Internet).

Écriture

• Limiter l'écriture à trois phrases, éventuellement en donnant une trame.

Réécriture

• Choisir deux ou trois productions et montrer aux élèves comment ils peuvent les améliorer.

• En laisser une au tableau et demander à tous les élèves de la classe de la réécrire comme cela a été montré juste avant en collectif.

JE LIS DE MIEUX EN MIEUX / JE JOUE AVEC LES MOTS PAGE 50

JE LIS DE MIEUX EN MIEUX

La demi-page a été conçue pour l'entrainement des élèves à une lecture de plus en plus fluide. Les activités sont réparties tout au long de la séquence (soit sur une période de 4 semaines environ). Par exemple :

Semaine 1	Semaine 2	Semaine 3	Semaine 4
❶ – Lecture des mots de la liste 1 – Copie des mots – Dictée des mots	❶ – Relecture des mots de la liste 1 / Autodictée des mots de la liste 1 – Lecture des mots de la liste 2 – Copie des mots – Dictée des mots	❶ – Relecture des mots de la liste 2 / Autodictée des mots de la liste 2 – Lecture des mots de la liste 3 – Copie des mots – Dictée des mots	❶ – Relecture des mots de la liste 3 / Autodictée des mots de la liste 3 – Lecture des mots des listes 4 et 5 – Copie des mots – Dictée des mots
❷ Préparation de la lecture des formules	❷ – Lecture des formules – Mémorisation des formules	❷ Dialogue de sorcières avec les formules à plusieurs	
		❸ Préparation de la lecture de la réplique	❸ Lecture de la réplique devant la classe

Activité 1

En période 3, les élèves ont encore besoin de travailler la fluence sur des listes de mots.

Prolongements

Pour chaque liste, lecture des mots à tour de rôle.
Liste par liste, copie des mots.
Après que la lecture fluide des mots d'une liste est assurée pour tous les élèves, dictée de mots, voire autodictée.
Après que les mots d'une liste ont été rangés différemment, lecture puis dictée de mots.

Différenciation

Lecture

Pour les élèves ayant d'importantes difficultés, travailler en petit groupe, colonne par colonne.

• Lire les mots aux élèves ; ils suivent avec leur doigt.

• Leur relire les mots dans le désordre en leur demandant de désigner chaque mot lu.
Les élèves peuvent alors lire les mots eux-mêmes.

Dictée

Pour les élèves ayant d'importantes difficultés, travailler en petit groupe, mot par mot. Chaque mot est corrigé juste après sa dictée. Repasser si nécessaire par le découpage en syllabes, la relation graphème – phonème, l'épellation des lettres...

Activité 2

La deuxième activité demande une certaine expertise. La réserver aux élèves les plus à l'aise si le niveau des autres risque de les mettre en difficulté.

Donner aux élèves un temps de préparation – lecture dans sa tête puis à voix haute – avant de leur demander de lire les mots à la classe.

Différenciation

Pour les élèves encore fragiles, donner une photocopie des mots pour qu'ils les découpent en syllabes. Progressivement, leur demander de lire les mots sans l'aide de ce découpage.

Prolongements

Demander aux élèves d'apprendre les mots par cœur et de les dire de mémoire.
Créer un temps au cours duquel les élèves s'adressent les formules magiques sur des tons divers.

Activité 3

La réussite de la troisième activité repose sur des compétences complexes :

– lire de manière fluide une réplique de théâtre ;
– repérer les didascalies et les exclure de la lecture ;
– comprendre qu'il s'agit d'un monologue et que Flemmarde se parle à elle-même ;
– interpréter les points d'exclamation pour dégager le ton sur lequel Flemmarde prononce ces paroles ;
– interpréter les points de suspension.

Faire travailler les élèves par trois de manière à ce qu'ils s'entraident dans la compréhension de la réplique, sa mémorisation et sa diction.

Différenciation

- Intégrer les élèves en difficulté aux trinômes et leur laisser le choix de lire la réplique ou, plus simplement, d'aider leurs camarades à la lire.
- Ne leur faire lire qu'une partie de la réplique (jusqu'à *de temps en temps*, par exemple).
- Leur préparer la réplique sans les didascalies et les faire lire tout à la fin.

JE JOUE AVEC LES MOTS

La demi-page a été conçue pour prolonger l'étude des textes par des activités ludiques.
Les activités sont réparties tout au long de la séquence (soit sur une période de 4 semaines environ).
Par exemple :

Semaine 1	Semaine 2	Semaine 3	Semaine 4
4 Écriture des mots	4 Écriture de nouveaux anagrammes en lien avec les sorcières		
	5 Dessin de la sorcière	5 Écriture d'un texte explicatif sur le pouvoir de la sorcière	
		6 – Recherche de mots qui riment avec *sorcière* – Lecture de poèmes sur les sorcières	6 – Création poétique avec les mots qui riment – Lecture de poèmes sur les sorcières

Activité 4

Prolongements

Demander aux élèves de créer eux-mêmes des anagrammes à partir des mots appartenant au thème des sorcières.
Constituer un jeu de cartes avec les anagrammes. Les élèves y jouent quand ils ont un moment.

Activité 5

Traiter l'activité de dessin sur l'horaire d'arts visuels.

Prolongements

Créer de beaux cartouches pour écrire les noms des sorcières.
Créer une galerie de portraits de sorcières pour le couloir ou le hall de l'école, en collant chaque cartouche au-dessus ou en dessous de sa sorcière.

Donner une trame pour l'activité d'écriture :

Ma sorcière sait ... .

Elle est capable de ... .

Activité 6

La recherche de mots peut se faire à deux.

Prolongements

Demander aux élèves de créer des vers avec leurs rimes.
Lire aux élèves des poèmes sur les sorcières (disponibles sur divers sites Internet).
– *Conseils donnés par une sorcière* de Jean Tardieu
– *Pour devenir une sorcière* de Jacqueline Moreau
– *La soupe de la sorcière* de Jacques Charpentreau
– *Sortilège* de Carl Norac
– *Au marché des sorcières* de Jacques Charpentreau

6 LA SORCIÈRE DU TGV

PAGES 51 À 59 DU MANUEL

Genre travaillé : Le roman fantastique

Le thème de la sorcière

Le chapitre 6 propose un parcours dans un roman donné en entier dans le manuel.
Il s'inscrit dans les préconisations des programmes : les élèves étudient cinq à dix œuvres dans l'année. Ces textes sont empruntés à la littérature patrimoniale et à la littérature de jeunesse. (Repères annuels de progression, cycle 2)

► Le thème de la sorcière dans la littérature est présenté à la page 7 de cet *Extrait*.

► Une bibliographie destinée à une mise en réseau est proposée à la page 7 de cet *Extrait*.

Le choix du roman

• **Le roman d'Agnès Bertron-Martin est facile d'accès** pour tous les élèves de CE1 en période 3. **En adoptant le point de vue d'une petite fille de l'âge des élèves,** le narrateur favorise leur identification au personnage principal et les aide à comprendre l'histoire.

La narration alterne les passages de récit et de dialogue ce qui permet de travailler ces deux modalités sur un texte long et de faire comprendre aux élèves l'intérêt de faire parler les personnages dans un récit.

• Traitement du thème de la sorcière

• **Dans ce roman, à l'inverse du conte traditionnel, le thème de la sorcière est traité sur un mode comique.**

• **Le roman reprend des caractéristiques du personnage-type :**

– La sorcière a une apparence négligée ; elle se comporte avec grossièreté.

– Elle possède des objets magiques ; par exemple, dans l'épisode 1 : flacon (l. 22), balai (l. 42 et 36-37), grimoire (l. 50).

– Elle possède des pouvoirs magiques : pouvoir de métamorphoser la mère de Léna en mouche ; pouvoir d'agir sur les objets (épisode de la porte des toilettes ou du sac qu'elle attire à elle d'un simple crochet du doigt) ; connaissance de formules magiques.

– Elle présente des liens avec les animaux : elle se débarrasse de ceux qui la gênent en les métamorphosant en animal ; elle-même et Gertrude sont métamorphosées en insectes.

• **Mais, à cette image traditionnelle de la sorcière, le roman mêle des situations à la fois réalistes et drôles :**

– Le roman se déroule entièrement dans un TGV en route pour Nîmes ; il y a un contrôleur, il faut présenter des billets...

– Le rhume de la sorcière et son comportement au début du roman éloignent le texte du conte traditionnel.

– Son dialogue avec Gertrude (l. 7 à 14) relève du comique de répétition *(si tu vois ce que je veux dire !)*.

– L'épisode du *Pipi, pipi, vite !* (l. 29) est particulièrement trivial.

Le roman reprend donc le thème de la sorcière en croisant des caractéristiques propres à l'univers du conte à un contexte réaliste qui vise à faire rire le lecteur.

Les objectifs du chapitre

• Objectif général

Faire étudier un roman d'une certaine ampleur mettant en scène un personnage-type, la sorcière

Déroulé du chapitre	Objectifs
POUR COMMENCER p. 51 (début du roman)	– Faire entrer les élèves dans l'histoire, par le texte et par l'image
LIRE ET COMPRENDRE p. 52 à 55 (Épisode 1)	– Accompagner les élèves dans la compréhension d'un texte long découvert en trois étapes, chacune d'une vingtaine de lignes – Amener les élèves à expliciter leur compréhension par la recherche d'indices – Aider les élèves à construire la chronologie du récit d'étape en étape puis globalement pour un volume de texte plus important

LIRE ET COMPRENDRE p. 56-59 (Épisode 2)	– Accompagner les élèves dans la compréhension d'un texte long découvert en trois étapes, chacune d'une vingtaine de lignes – Amener les élèves à clarifier le rôle et le comportement des personnages à chaque étape du récit – Inciter les élèves à formuler un avis sur leur lecture par le biais du Carnet de lecture
LIRE ET DÉCOUVRIR D'AUTRES ROMANS p. 60	– Consolider les compétences de lecture des élèves – Les amener à jouer avec les situations des personnages du roman – Les inciter à lire en autonomie d'autres romans appartenant au même thème

La mise en œuvre du chapitre

- **Mandarine CE1 reproduit l'intégralité du roman.**

Le texte est découpé en deux épisodes (p. 52 à 54 et p. 56 à 58) chacun accompagné d'un questionnaire (p. 55 et p. 59). Chaque épisode se lit en trois étapes, chacune portant sur une vingtaine de lignes conformément aux programmes. Les questions de chaque questionnaire doivent être réparties entre ces six étapes. Étant donné leur longueur, chaque volume de texte (en général une page) fait l'objet de deux séances pour un total de 14 séances réparties sur 4 semaines (voir ci-dessous).

- **Proposition de mise en œuvre du texte et des questionnaires**

Séances	Volume de texte à lire	Questions à travailler
		POUR COMMENCER PAGE 51
1	Le texte + l'illustration Page 51	Les deux questions de la page 51
		ÉPISODE 1 PAGES 52 à 54 – QUESTIONNAIRE PAGE 55
1	Page 52 Lignes 1 à 20	VOCABULAIRE POUR MIEUX LIRE Entamer la question 4 JE COMPRENDS 5, 6
2	Idem	JE COMPRENDS 7, 8 J'ÉCRIS 14
3	Pages 53 Lignes 21 à 44	VOCABULAIRE POUR MIEUX LIRE 1, 2, Poursuivre la question 4 JE COMPRENDS 9
4	Idem	JE COMPRENDS 10, 11
5	Page 54 Lignes 45 à 59	VOCABULAIRE POUR MIEUX LIRE 3, Poursuivre la question 4 JE COMPRENDS 12
6	Idem	ENTRE LES LIGNES 13
		ÉPISODE 2 PAGES 56 à 58 – QUESTIONNAIRE Page 59
1	Page 56 Lignes 1 à 32	VOCABULAIRE POUR MIEUX LIRE 1 JE COMPRENDS 4, 5
2	Idem	ENTRE LES LIGNES 9
3	Page 57 Lignes 33 à 55	VOCABULAIRE POUR MIEUX LIRE 2 JE COMPRENDS 6, 7
4	Page 58 Lignes 56 à 77	VOCABULAIRE POUR MIEUX LIRE 3 JE COMPRENDS 8
5	Idem	CARNET DE LECTURE 10
6 et 7		ATELIER Imaginer une suite

POUR COMMENCER Page 51

La sorcière du TGV (premières lignes)

Compétences – Entrer dans le roman, par le texte et par l'image. – Interpréter la page pour anticiper l'histoire.	
Déroulement	**1 séance [30 min]** Découverte de la page – Repérage des titres – Exploration de l'illustration – Lecture de l'extrait – Compréhension – Réponse aux questions
Matériel	Le manuel

ÉLÉMENTS D'ANALYSE

L'illustration

- **L'illustration prend le parti de la narratrice** et donne à voir ce que la petite fille ressent face à la « dame » dont on ne voit qu'une main.
- **Les sièges du train sont surdimensionnés** pour mettre en valeur la fragilité de la fillette dont les yeux immenses traduisent la méfiance et l'inquiétude.
- **Le gros plan sur la main de la sorcière** souligne un détail caractéristique du personnage-type : les doigts crochus et les ongles longs.

L'extrait

Il s'agit des premières lignes du roman. Il concentre l'attention du lecteur sur la « dame » du train et installe l'identification au personnage de Léna.

L'auteur

Agnès Bertron-Martin écrit des ouvrages pour la jeunesse depuis 1994. Elle interprète certains de ses textes dans des spectacles pour enfants. Elle est l'auteure d'une série « Princesse... » qui amalgame à l'histoire des éléments issus des cultures du monde (chez Castor Poche Flammarion).

Séance 1

Exploration de la page

- Les élèves observent la page en silence.
- Leur demander ce qu'ils ont remarqué.
- Leur demander de lire les titres : indication du thème, gros titre, sous-titre.

Si les élèves ont travaillé sur le chapitre 5, faire un rappel des types de sorcières qu'on y a rencontrés.

- Amener les élèves à comprendre que le gros titre est celui du roman.
- Leur demander s'ils connaissent le genre cité dans le cartouche bleu. Donner une explication rapide du mot « fantastique » : qui contient des éléments surnaturels, qu'on ne trouve pas dans la réalité.

Exploration de l'illustration

- Laisser les élèves la décrire librement : ils ne manqueront pas de remarquer la main de la sorcière et l'attitude apeurée de la fillette.
- Leur demander s'il est possible de dire où sont la fillette et la dame dont on voit la main (dans un train).

Lecture de l'extrait

Différenciation
En amont de la séance, préparer la lecture de l'extrait avec 4 élèves (deux phrases par élève).
Ces élèves seront sollicités après la lecture silencieuse.

- Lire une première fois l'extrait aux élèves car il est important qu'ils comprennent bien ce début du roman.
- Ils le relisent silencieusement.
- Les élèves qui ont préparé la lecture de l'extrait le relisent à voix haute.

Traitement des questions (oralement)

- Les élèves répondent question par question.

Deuxième question : Qui sont-ils ? Veiller à ce que tous les élèves aient bien compris que la tante Catherine n'est pas dans le train.

Troisième question : le texte ne permet pas de dire que la dame est une sorcière.

Il faut donc utiliser tous les indices de la page pour aboutir à cette conclusion :
– thème du chapitre ;
– titre du roman ;
– illustration.

Relecture de l'extrait par quatre autres élèves.

ÉPISODES 1 ET 2 PAGES 52 À 59

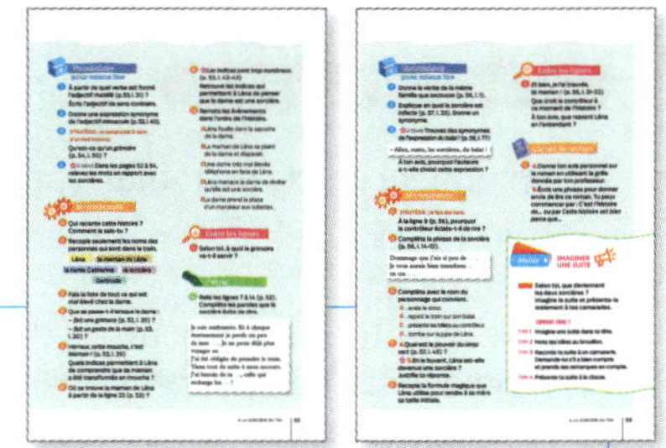

La sorcière du TGV

Compétences
- Lire de manière fragmentée un roman de littérature de jeunesse
- Comprendre le rôle de chaque personnage dans l'histoire
- Comprendre les relations entre les personnages
- Saisir la chronologie de l'histoire
- Donner un avis personnel sur un roman lu en classe

Déroulement

ÉPISODE 1 PAGES 52 À 54 – QUESTIONNAIRE PAGE 55

Séance 1 [30 min] Page 52
Écoute de la page lue par l'enseignant – Relecture silencieuse par les élèves
VOCABULAIRE POUR MIEUX LIRE Entamer la question 4 – JE COMPRENDS 5, 6 –
Relecture de la page à voix haute

Séance 2 [30 min] Page 52
Relecture silencieuse de la page – JE COMPRENDS 7, 8 – J'ÉCRIS 14

Séance 3 [30 min] Page 53
Écoute de la page lue par l'enseignant – Relecture silencieuse par les élèves –
VOCABULAIRE POUR MIEUX LIRE 1, 2, Poursuivre la question 4 –
JE COMPRENDS 9 – Relecture de la page à voix haute

Séance 4 [30 min] Page 53
Relecture silencieuse de la page – JE COMPRENDS 10, 11

Séance 5 [30 min] Page 54
Lecture de la page par les élèves – VOCABULAIRE POUR MIEUX LIRE 3,
Poursuivre la question 4 – JE COMPRENDS 12 – Relecture silencieuse de la page

Séance 6 [30 min] Page 54
Relecture silencieuse de la page – ENTRE LES LIGNES 13

ÉPISODE 2 PAGES 56 À 58 – QUESTIONNAIRE PAGE 59

Séance 1 [30 min] Page 56
Lecture préparée de la page par l'enseignant et 4 élèves –
Relecture silencieuse par les élèves – VOCABULAIRE POUR MIEUX LIRE 1 –
JE COMPRENDS 4, 5 – Relecture silencieuse de la page

Séance 2 [30 min] Page 56
Relecture silencieuse de la page – ENTRE LES LIGNES 9

Séance 3 [30 min] Page 57
Écoute de la page lue par l'enseignant – Relecture silencieuse par les élèves –
VOCABULAIRE POUR MIEUX LIRE 2 – JE COMPRENDS 6, 7 –
Relecture de la page à voix haute

Séance 4 [30 min] Page 58
Lecture silencieuse de la page – Lecture à voix haute –
VOCABULAIRE POUR MIEUX LIRE 3 – JE COMPRENDS 8

Séance 5 [30 min] Page 58
Relecture survol du roman – CARNET DE LECTURE 10

Séances 6 et 7 [30 min] ATELIER

Matériel

Le manuel – Une affiche pour lister les mots en relation avec les sorcières –
La photocopie des phrases de la question 6, page 59 –
Le matériel nécessaire à la question 12, page 55 (voir page 20) –
Pour les élèves, un carnet de lecture

ORGANISATION DU RÉCIT

■ **La première partie du roman (pages 52 à 54) :**

– conforte la « dame » comme personnage qui concentre l'action ;
– révèle sa nature et ses pouvoirs de sorcière : une grimace suffit à changer la mère de Léna en mouche ; elle ouvre la porte des toilettes d'un simple geste du doigt.

■ **La deuxième partie du roman (pages 56 à 58) :**

– introduit de nouveaux personnages : le contrôleur et Gertrude ;
– comporte une dimension tragi-comique avec la chute de la maman de Léna (métamorphosée en mouche) sous le siège ;
– multiplie les actions et met le courage et l'audace de Léna sur le devant de la scène ;
– met en échec les deux sorcières.

■ **Les dialogues jouent un rôle important dans l'ensemble du récit :**

– ils rendent le récit plus vivant, donnent une présence aux personnages ;
– ils font avancer l'action : c'est parce que la mère de Léna dit à voix haute (l. 18) que la « dame » est mal élevée qu'elle est changée en mouche ;
– ils apportent des touches de drôlerie : tirade pleine de sous-entendus (l. 7 à 14) ; sortie précipitée des toilettes (l. 29).

La mise en œuvre de la totalité des séances sera développée en détail dans le *Guide pédagogique*. Nous donnons ci-dessous quelques exemples pour des activités particulières.

Question 9 Page 55
CONSTRUIRE UNE INFÉRENCE

9 ***Horreur, cette mouche, c'est maman !***

Quels indices permettent à Léna de comprendre que sa maman a été transformée en mouche ?

Si les élèves ont travaillé la stratégie ***Je cherche dans le texte*** sur *Les Musiciens de Brême* (page 183 du manuel), les renvoyer à la méthode observée.

Dans tous les cas, procéder méthodiquement pour habituer les élèves à traiter ce type de question en adoptant une démarche rigoureuse.

• Lire la question avec les élèves et clarifier le rapport entre la partie en italique et la partie en caractères romains.

• Demander aux élèves ce qu'ils doivent faire **(chercher dans le texte)** et ce qu'ils doivent chercher : ***un indice*** (rappeler le sens de ce mot).

• Demander aux élèves de se reporter à **la page 53** et de trouver **la ligne 39**.

• **Demander aux élèves si les indices se trouvent avant ou après la ligne 39** (avant, à partir de la ligne 19, page 52).

• Dire aux élèves que, pour trouver les indices, il faut **remonter à l'endroit du texte où l'on trouve pour la première fois le mot *mouche*** (l. 22).

• Les élèves cherchent les indices à deux (leur dire de prendre en compte le bas de la page 52).

• **Au tableau, construire l'inférence :**
- **La maman** de Léna dit que la dame est mal élevée (l. 18).
– La dame l'entend et fait **une grimace** (l. 20).
– Juste après, **une mouche** passe sous le nez de Léna (l. 22).
– Cette mouche est aspirée **dans le flacon** (l. 23).
– À la ligne 25, Léna découvre que **sa maman a disparu**.
– À la ligne 35, Léna observe le flacon laissé par la dame sur son siège.
– Elle y voit **une mouche**.
– Or, cette mouche porte un pulloveur bleu comme celui de la maman de Léna (l. 37-38).

Donc, Léna comprend que sa maman a été transformée en mouche.

• Les élèves peuvent recopier une phrase de synthèse dans leur cahier :
Léna comprend que sa maman a été transformée en mouche parce que la mouche du flacon porte le pulloveur de sa maman.

Différenciation

Reprendre l'inférence avec les élèves qui ont des difficultés (oralement).

• Leur lister les lignes et les mots-clés qu'ils doivent retrouver dans le texte :
– *maman* : lignes 20, 24-25 ;
– *mouche* : lignes 22-23 ; 37-38 ;
– *flacon* : lignes 22-23 ; 35-36 ;
– *pulloveur* : lignes 37-38.

• Leur demander de relire les phrases significatives.

• Leur demander de reformuler comment Léna comprend que sa maman a été métamorphosée en mouche.

Question 12 page 55
RECONSTRUIRE UN RÉSUMÉ

12 Remets les évènements dans l'ordre de l'histoire.

MATÉRIEL

- Distribuer les étiquettes des 5 étapes (A – B – C – D – E). [en annexe du *Guide pédagogique*]
- Sur une feuille A4, tracer 5 cases (numérotées de 1 à 5) sur lesquelles les élèves pourront coller leurs étiquettes.
- Prévoir de grandes étiquettes identiques pour le tableau.

Faire travailler les élèves par deux.

- Donner aux élèves les étiquettes dans le désordre, par exemple dans une enveloppe pour éviter les pertes, et la feuille A4.
- Donner un temps limité pour organiser les étiquettes (par exemple 15 minutes).
- Les élèves cherchent l'ordre des éléments de l'histoire.
- Mettre en commun au tableau en plaçant les étiquettes selon les indications des élèves.
- **Pour chaque étiquette, revenir au texte (relire le passage concerné), notamment si les élèves ne sont pas d'accord entre eux.**
- À la fin de l'activité, **un élève relit l'intégralité du résumé**.

Ordre du récit :

C Une dame très mal élevée téléphone en face de Léna. Lignes 6 à 14
B La maman de Léna se plaint de la dame et disparait. Lignes 18 à 25
E La dame prend la place d'un monsieur aux toilettes. Lignes 30 à 34
A Léna fouille dans la sacoche de la dame. Ligne 45
D Léna menace la dame de révéler qu'elle est une sorcière. Ligne 57

Différenciation

Aides aux élèves en difficulté :
– donner les lignes auxquelles les élèves doivent se référer ;
– indiquer quel est le premier morceau ;
– dans les résumés, souligner les mots repères :
A Léna fouille dans la **sacoche** de la dame.
B La maman de Léna se plaint de la dame et **disparait**.
C Une dame très mal élevée **téléphone** en face de Léna.
D Léna **menace la dame** de révéler qu'elle est une sorcière.
E La dame prend la place d'un monsieur **aux toilettes**.

Question 10 Page 59
DONNER UN AVIS PERSONNEL SUR UNE LECTURE

10 Donne ton avis personnel sur le roman en utilisant la grille donnée par ton professeur.

Exemple de grille qui peut être construite progressivement avec les élèves au fil de l'année.

Je me souviens de ma lecture
Le titre du livre : .... L'auteur : ....
J'ai aimé / Je n'ai pas aimé ce roman. ....
Pour qualifier ce roman, j'ai choisi les adjectifs : .... drôle - intéressant - triste - ennuyeux - étrange - mouvementé - fantastique - passionnant
Mon personnage préféré est : .... Parce que : ....
Mon passage préféré est : ....

PARTIE II. ÉTUDE DE LA LANGUE

LES LETTRES ET LES SONS - LEXIQUE - GRAMMAIRE - ORTHOGRAPHE - LE VERBE ET SES CONJUGAISONS

A. L'ORGANISATION DES CHAPITRES D'ÉTUDE DE LA LANGUE

Cinq entrées

Mandarine CE1 organise les contenus du programme en cinq entrées : *Les lettres et les sons – Lexique – Grammaire – Orthographe – Le verbe et ses conjugaisons.*

▶ Voir le sommaire du manuel, pages 4 et 5.

Des notions regroupées en chapitres

Pour chacune de ces cinq entrées, *Mandarine CE1* propose des chapitres regroupant des notions.

Ces regroupements aident les élèves **à saisir les liens essentiels entre les notions**. La grammaire, l'orthographe, le vocabulaire, les conjugaisons ne sont plus des collections de notions éclatées, l'étude de l'une chassant celle de l'autre. **Les élèves peuvent saisir leur cohérence, ce qui donne du sens aux apprentissages.**

Le manuel comporte :

- **1 entrée *Les lettres et les sons* avec**
  14 pages de révision et d'approfondissement
- **1 entrée *Lexique* avec**
  2 chapitres regroupant **8** notions
- **1 entrée *Grammaire* avec**
  3 chapitres regroupant **11** notions
- **1 entrée Orthographe avec**
  1 chapitre regroupant **5** notions
- **1 entrée *Le verbe et ses conjugaisons* avec**
  3 chapitres regroupant **12** notions.

L'organisation d'un chapitre

Par exemple :

GRAMMAIRE : LES CLASSES DE MOTS NOTIONS 23 À 26 (P. 138 À 145 DU MANUEL)	
Pages 138-139 : Ateliers de recherche *Les classes de mots* **ATELIER de la notion 23 :** Le groupe nominal : le nom et les déterminants **ATELIER de la notion 24 :** L'adjectif qualificatif **ATELIER de la notion 25 :** Verbe, nom ou adjectif qualificatif ? **ATELIER de la notion 26 :** Le pronom sujet	
Pages 140-141	**Notion 23 Le groupe nominal : le nom et les déterminants** • **Leçon** : La composition du GN – Le rôle du déterminant – Les noms propres • **13 exercices** classés par compétences : J'identifie le groupe nominal (déterminant + nom) / Je repère les noms propres / Je manipule le groupe nominal DICTÉE PRÉPARÉE
Pages 142-143	**Notion 24 L'adjectif qualificatif** • **Leçon** : Le lien entre le nom et l'adjectif qualificatif / La notion de GN étendu • **15 exercices** classés par compétences : J'identifie l'adjectif qualificatif / Je manipule l'adjectif qualificatif / Je m'entraine dans un texte DICTÉE PRÉPARÉE
Page 144	**Notion 25 Verbe, nom ou adjectif qualificatif ?** • **Leçon** : Certains mots identiques peuvent appartenir à des classes grammaticales différentes • **6 exercices** AUTODICTÉE
Page 145	**Notion 26 Le pronom sujet** • **Leçon** : Le sujet du verbe peut être un pronom / Liste des pronoms sujets / Rôle des pronoms sujets • **6 exercices**

B. LES NOTIONS

Les notions retenues par *Mandarine CE1* sont celles des *Repères de progression* et des *Attendus de fin de niveau CE1* disponibles sur le site Eduscol.

C. LES MODALITÉS DE TRAVAIL

▸ *Mandarine CE1* met en œuvre les préconisations des programmes.

– L'étude de la langue privilégie les **corpus** de mots et de phrases **soigneusement constitués**.
– Des **ateliers de découverte** amènent les élèves à dégager des observations et à découvrir une terminologie.
– La **leçon** rassemble les connaissances à avoir sur la notion étudiée.
– Les **exercices** privilégient les **manipulations** d'énoncés selon des **modalités très variées**.
– Les activités de **production de phrases** sont fréquentes.
– La rubrique *Je m'entraine dans un texte* initie les élèves **au transfert des connaissances** dans la lecture et dans l'écriture.
– La **dictée** ou l'**autodictée** permet aux élèves de s'entrainer à la mise en œuvre des acquis orthographiques dans l'écriture d'un texte court.

▸ Les ateliers de découverte

• **Les ateliers ne figurent pas sur les mêmes doubles pages que les leçons pour éviter que les élèves ne s'y réfèrent trop tôt. Les ateliers de découverte préparent les leçons.**
À ce moment de la séquence, il s'agit seulement d'élaborer une première représentation des notions qui seront étudiées plus loin.

• **Il est conseillé de traiter :**
– l'atelier consacré à une notion ;
– puis la leçon consacrée à cette même notion ;
– puis les exercices associés à cette leçon ;
– puis de passer à une nouvelle notion (nouvel atelier).

▸ Les leçons

• **Les découvertes des ateliers trouvent leur développement dans les leçons.**
Les leçons sont **synthétiques** et **accessibles** aux élèves. Elles apportent des informations sur l'essentiel de la notion.

• Pour aider les élèves à s'approprier la leçon, on pourra leur demander de **trouver d'autres exemples** que ceux proposés dans le manuel.
La leçon est **relue** au début de chaque phase de la séquence.

▸ Les activités

• Les exercices prennent la forme d'**activités très variées**, le plus souvent **organisées par compétences**.

Ce classement permet à l'élève de mettre son activité en relation avec la leçon et de savoir quelle compétence il travaille dans les exercices.

• **Les types d'activités**

– Certaines activités comportent un logo ORAL qui indique que **l'activité doit être traitée de préférence à l'oral**. L'oral est généralement recommandé pour les premiers exercices car il permet :
* à l'enseignant de prendre des repères sur les connaissances de ses élèves ;
* de leur donner des repères pour traiter les exercices qui suivent ;
* à l'élève d'entendre comment procéder pour réussir l'exercice.

L'oral est donc un excellent outil de traitement des différences de niveaux entre les élèves.

– Certaines activités comportent **une étoile** ☆ qui signale un exercice **plus difficile**. Les activités concernées pourront être aménagées selon le niveau de compétences des élèves. Une mise en commun permettra à tous de bénéficier de tous les apports.

Le *Guide pédagogique* offre de nombreux conseils pour différencier les apprentissages dans chaque double page.

– Certaines consignes demandent de l'**écriture** (création de phrases notamment). Elles sont signalées par un logo .
Afin de ne pas pénaliser les élèves qui écrivent difficilement, on pourra privilégier l'écriture à deux ou la dictée à l'adulte.
– Une **DICTÉE PRÉPARÉE** et/ou une **AUTODICTÉE** est proposée dans la plupart des doubles pages. Elle porte généralement sur un texte de trois à quatre lignes qui doit être **étudié attentivement** auparavant : sens du texte (même simple), observation des accords, mémorisation des mots difficiles...
Le *Guide pédagogique* propose d'autres dictées en plus de celles du manuel.

▸ La progression annuelle

***Mandarine CE1* vous propose une progression annuelle qui :**
– répartit les notions des cinq grandes rubriques sur les cinq périodes de l'année :
Les lettres et les sons
Lexique
Grammaire
Orthographe
Le verbe et ses conjugaisons
– établit une progressivité dans les apprentissages de la période 1 à la période 5 ;
– prend en compte le rythme d'apprentissage et la maturité des élèves dans chaque période.

La progression est disponible ci-après, pages 23-24 .

PROPOSITION DE PROGRESSION ANNUELLE EN ÉTUDE DE LA LANGUE

LES LETTRES ET LES SONS | LEXIQUE ET ORTHOGRAPHE LEXICALE | GRAMMAIRE | ORTHOGRAPHE | LE VERBE ET SES CONJUGAISONS

	Contenus étudiés	Compétences travaillées
PÉRIODE 1	1 Les sons [p]/[b] et [t]/[d] 104	Discriminer des sons proches et les écrire.
	2 Les sons [k]/[g] et [ʃ]/[ʒ] 105	Discriminer des sons proches et les écrire.
	19 La phrase 132	Identifier la phrase (sens et ponctuation). Compter les phrases d'un texte.
	20 Le verbe de la phrase 134	Identifier le verbe de la phrase (il change selon le temps et la personne).
	35 L'infinitif du verbe 162	Trouver l'infinitif d'un verbe conjugué pour connaitre son groupe.
	21 Le sujet du verbe 136	Comprendre la fonction sujet dans la phrase et savoir l'identifier.
	36 Le radical et les terminaisons 163	Comprendre que le radical du verbe donne le sens et que la terminaison change selon la personne du sujet.
	38 Le présent des verbes du 1er groupe 168	Aborder la notion de conjugaison. Connaitre les marques de personnes au présent.
	3 La lettre S 106	Lire et écrire la lettre *s*. La repérer quand elle ne s'entend pas (pluriel des noms ou terminaisons verbales du présent : *-es* / *-ons*).
	15 Les familles de mots 126	Saisir la notion de famille de mots à partir d'un mot de base.
PÉRIODE 2	27 Les trois types de phrases 148	Identifier la phrase quel que soit son type : déclaratif, interrogatif, impératif.
	37 La relation sujet-verbe 164	Comprendre la relation de sens entre le sujet et le verbe dans la phrase. Identifier l'accord entre les deux constituants.
	39 Le présent des verbes *être* et *avoir* 169	Mémoriser le présent des verbes *être* et *avoir*.
	4 La lettre C 108	Lire et écrire la lettre *c*. Comprendre la terminaison *-çons* des verbes du 1er groupe au présent.
	5 La lettre G 110	Lire et écrire la lettre *g*. Comprendre la terminaison *-geons* des verbes du 1er groupe au présent.
	23 Le groupe nominal : le nom et les déterminants 140	Identifier l'unité du GN : déterminant + nom. Repérer le nom propre.
	24 L'adjectif qualificatif 142	Identifier l'adjectif qualificatif et comprendre son rôle dans le GN. Découvrir l'accord orthographique déterminant-nom-adjectif qualificatif.
	30 L'accord en nombre : singulier ou pluriel .. 154	Distinguer et identifier le singulier et le pluriel des noms. Repérer les chaines d'accords en nombre dans le GN. Écrire les accords en nombre dans le GN.
	31 L'accord en genre : masculin ou féminin .. 156	Distinguer et identifier le masculin et le féminin. Repérer les chaines d'accords en genre dans le GN. Écrire les accords en genre dans le GN.
	40 Le présent des verbes *faire, aller, dire, venir* 170	Mémoriser la conjugaison des verbes *faire, aller, dire, venir* au présent et repérer des régularités.

Période	Contenus étudiés	Compétences travaillées
PÉRIODE 3	28 La forme affirmative et la forme négative 150	Consolider ce qu'est une phrase et identifier si elle est négative ou affirmative.
	6 Les lettres *gn* 112	Lire et écrire le digramme *gn*.
	7 ter/tre, par/pra, bar/bra, for/fro 113	Lire et écrire les trigrammes ter/tre ; pra/par...
	41 Le présent des verbes *pouvoir*, *voir*, *vouloir*, *prendre* 171	Mémoriser la conjugaison des verbes *pouvoir*, *voir*, *vouloir*, *prendre* au présent et repérer des régularités.
	25 Verbe, nom ou adjectif qualificatif ? ... 144	Consolider sa connaissance des classes de mots. Identifier la classe d'un mot qui peut recouvrir des natures différentes.
	11 L'ordre alphabétique 120	Comprendre le principe de classement des mots dans le dictionnaire.
	13 L'organisation du dictionnaire 122	Comprendre l'organisation d'une page de dictionnaire. Repérer les aides.
	32 L'accord en genre et en nombre 157	Consolider et synthétiser les acquis sur les accords en nombre et en genre dans le GN.
	42 L'imparfait 174	Identifier l'imparfait comme un temps du passé. Connaitre les marques de temps et de personnes de ce temps.
PÉRIODE 4	8 an/am, en/em, on/om, in/im 114	Repérer le changement de lettre an → am, en → em, etc. devant m, b, p.
	9 ein, oin, ain 115	Lire et écrire les trigrammes ain/ein/oin. Les distiguer de ian/ien/ion.
	33 Les marques de pluriel qui s'entendent 158	Découvrir les pluriels particuliers. Savoir les identifier et les écrire.
	43 Le passé composé 176	Identifier le passé composé comme un temps du passé. Comprendre comment on le construit.
	12 La forme des mots dans le dictionnaire 121	Comprendre que pour trouver un mot dans le dictionnaire, il faut le mettre sous sa forme neutre (verbe à l'infinitif, adjectif au masculin singulier...).
	14 L'article de dictionnaire 123	Comprendre le fonctionnement d'un article de dictionnaire. Connaitre les catégories d'informations qu'on y trouve.
	26 Le pronom sujet 145	Identifier la classe des pronoms sujets et saisir leur lien avec le verbe.
	16 Les synonymes et les antonymes 127	Identifier la relation de synonymie ou d'antonymie entre des mots.
	44 Le futur des verbes *être* et *avoir* 178	Mémoriser le futur des verbes *être* et *avoir*.
PÉRIODE 5	45 Le futur des verbes du 1er groupe 179	Identifier les marques de temps et de personnes au futur pour les verbes du 1er groupe.
	29 La forme exclamative 151	Consolider ses connaissances sur la phrase et saisir les valeurs de la forme exclamative.
	10 ail/aille/aill, eil/eille/eill, euil/euille/euill, ouil/ouille/ouill 116	Utiliser la graphie qui convient à l'environnement du son.
	34 Les marques de féminin qui s'entendent 159	Identifier et écrire les marques de féminin qui s'entendent pour les noms et les adjectifs.
	22 Les compléments 137	Identifier la fonction complément d'une phrase ou d'un verbe.
	46 Le futur de *faire*, *aller*, *dire*, *venir*, *pouvoir*, *voir*, *vouloir*, *prendre* 180	Mémoriser la conjugaison des verbes *faire*, *aller*, *dire*, *venir*, *pouvoir*, *voir*, *vouloir*, *prendre* au futur et repérer des régularités.
	17 Les niveaux de langue 128	Connaitre et percevoir les trois niveaux de langue.
	18 Le champ lexical 129	Identifier la notion de champ lexical.

LES CLASSES DE MOTS

▶ Manuel, p. 138 à 145

Les classes de mots dans les programmes

La capacité à identifier et à nommer les classes de mots s'enclenche au CP.
Les élèves commencent à identifier et à nommer les noms, les déterminants (genre et nombre sont reconnus) et les verbes. Ils constituent des corpus (adjectifs qualificatifs, mots invariables, pronoms personnels sujets) à partir des textes étudiés. *(Repères de progression CP)*
Au CE1, les élèves enrichissent les corpus commencés en CP (noms, verbes, déterminants...) et nomment leur classe grammaticale. *(Repères de progression CE1)*
L'élève est capable de **différencier les principales classes de mots : le nom, le déterminant, l'adjectif qualificatif, le verbe, le pronom sujet, les mots invariables.** *(Attendus de fin de CE1)*
Terminologie :

- Les expressions « classe de mots » et « classe grammaticale » sont synonymes.
- L'expression « nature d'un mot » désigne la classe grammaticale à laquelle il appartient.

Elle est toujours indiquée dans le dictionnaire.

Mandarine CE1 retient quatre axes d'étude des classes de mots

- **Le groupe nominal : le nom et les déterminants (notion 23)**

– identifier la composition du groupe nominal : déterminant + nom ;
– repérer le nom noyau d'un GN ;
– identifier le genre et le nombre d'un GN à partir du déterminant ;
– repérer les noms propres.

- **L'adjectif qualificatif (notion 24)**

– comprendre la relation nom-adjectif ;
– connaitre le rôle de l'adjectif dans le GN.

- **Verbe, nom ou adjectif qualificatif ? (notion 25)**

– identifier la classe grammaticale d'un mot qui peut être un verbe, un nom ou un adjectif qualificatif.

- **Le pronom sujet (notion 26)**

– identifier le pronom sujet ;
– comprendre que le pronom sujet peut remplacer un GN sujet.

Notions	Atelier de découverte	Leçon et Activités	Période conseillée
23 Le groupe nominal : le nom et les déterminants	Page 138	Pages 140-141	2
24 L'adjectif qualificatif	Page 138	Pages 142-143	2
25 Verbe, nom ou adjectif qualificatif ?	Page 139	Page 144	3
26 Le pronom sujet	Page 139	Page 145	4

▶ Voir la proposition de programmation annuelle pages 23-24.

▶ Manuel, p. 138 et 140-141

23. Le groupe nominal : le nom et les déterminants

Les compétences visées :
– identifier **le groupe nominal** ;
– identifier **les deux principaux constituants du groupe nominal** : le nom, le déterminant ;
– identifier **le genre et le nombre** d'un GN à partir du déterminant ;
– repérer **les noms propres**.
N.B. Le groupe nominal en tant qu'*unité d'éléments de la phrase qui fonctionnent ensemble* (et donc qui s'accordent) est travaillé dans la partie Orthographe (voir pages 152 à 159).

Séance 1 [30 min]	ATELIER 23 p. 138
Séance 2 [30 min]	– Étude des **points 1** et **2** de la leçon p. 140 – J'identifie le groupe nominal (déterminant + nom) : **Exercices** 1, 2, 3, 4 p. 140
Séance 3 [30 min]	– Étude du **point 3** de la leçon p. 140 – J'identifie le groupe nominal (déterminant + nom) : **Exercices** 5, 6, 7 p. 141
Séance 4 [30 min]	– Étude du **point 4** de la leçon p. 140 – Je repère les noms propres : **Exercices** 8 et 9 p. 141 – Je manipule le groupe nominal : **Exercice** 10 p. 141
Séance 5 [30 min]	– Je manipule le groupe nominal : **Exercices** 11 et 12 p. 141 – DICTÉE PRÉPARÉE 13 p. 141
Matériel	Prévoir une affiche + le tableau photocopié 6 et le texte photocopié 11. [en annexe du *Guide pédagogique*]

Atelier 23 page 138

Les objectifs de l'atelier

- **Amener les catégories groupe nominal / nom** par le biais d'exemples.
- Amener les élèves à **repérer le rôle du déterminant dans le GN.**
- Aborder les catégories du **masculin** et du **féminin**, du **singulier** et du **pluriel**.
- Faire découvrir la catégorie des **noms propres**.

ÉTAPE 1

a. Avec cette double consigne, **on donne aux élèves les mots** qui désignent les catégories des groupes nominaux et des noms par le biais d'un ensemble d'exemples.

- Écrire les GN au tableau.
- Lorsque les élèves ont recopié les GN sur leur cahier de brouillon, leur demander s'ils savent comment on nomme la classe grammaticale à laquelle appartient chaque mot.
- Les élèves encadrent ensuite les noms individuellement sur leur cahier.
- Désigner alors des élèves pour qu'ils viennent au tableau encadrer les noms dans les GN.
- Demander à deux ou trois élèves de **lire uniquement les noms** dans les GN.

→ TRACE
Sur une affiche, écrire : *une main – mon canapé – tes lacets* : **ce sont des groupes nominaux**.

b. À l'oral, les élèves proposent des GN.

- En écrire quelques-uns au tableau.
- Des élèves désignés viennent encadrer les noms.
- Effacer le tableau. Les élèves trouvent et écrivent des GN sur leur ardoise.
- Mettre en commun.
- Les élèves encadrent ensuite les noms.

→ TRACE
Sur l'affiche, écrire : une main – mon canapé – tes lacets : **ce sont des noms**.

ÉTAPE 2

a. Sur leur ardoise, les élèves relèvent d'abord le premier GN : **La fleur**. Vérifier qu'il n'y a pas d'erreur. Écrire le GN **au tableau**.

- Procéder de la même manière pour le deuxième GN : **Les fleurs**.

• **Oralement**, demander aux élèves quel mot permet de savoir si le GN est au singulier ou au pluriel (vérifier que les élèves comprennent ces notions). Traiter alors la consigne **b**.

• Entourer **les déterminants** dans les GN écrits **au tableau**.

• Écrire au tableau une liste de GN et désigner des élèves pour qu'ils viennent entourer les déterminants.

> **→ TRACE**
> Sur l'affiche, écrire : une main – mon canapé – tes lacets : **ce sont des déterminants**.
> **Le déterminant indique si le GN est au singulier ou au pluriel.**

ÉTAPE 3

• Écrire les phrases **au tableau**. Les élèves écrivent les GN **sur leur ardoise**. Les encadrer dans les phrases écrites **au tableau**.

• Demander aux élèves de dire de mémoire comment on appelle les mots **Le** et **La**.

• Ils lisent ensuite la consigne et y répondent **oralement**.

• Demander aux élèves de donner des exemples de GN masculins et de GN féminins **à l'oral**. Les classer au fur et à mesure en deux colonnes **au tableau**.

> **→ TRACE**
> Sur l'affiche, ajouter : **Le déterminant indique si le GN est masculin ou féminin**.

ÉTAPE 4

• **Les élèves répondent oralement.**

Caractéristiques des noms propres : majuscule au début ; absence de déterminant ; désignation d'une personne ou d'un lieu individualisé.

• Demander aux élèves de proposer des noms propres oralement. En écrire quelques-uns au tableau.

→ **Pour clore cette phase de travail**, écrire au tableau dans le désordre les mots : *groupe nominal masculin – groupe nominal pluriel – nom propre – groupe nominal féminin – groupe nominal singulier – déterminant* et demander aux élèves de donner **oralement** des exemples pour chaque notion.

→ **Enrichir l'affiche commencée au début des activités. Elle servira tout au long de l'étude du chapitre sur les classes de mots.**

Leçon et activités pages 140-141

J'identifie le groupe nominal (déterminant + nom)

• Lire les points **1** et **2** de la leçon. Les élèves les relisent.

1 *N.B. : **Lors des activités sur le GN, partir du nom noyau** pour faire comprendre aux élèves que le déterminant dépend toujours du nom noyau et pas l'inverse.*

• Traiter la liste **a.** au tableau en collectif pour s'assurer que tous les élèves ont bien compris les trois notions : *groupe nominal – nom noyau – déterminant*.

• Les élèves traitent la liste **b.** au brouillon. Corriger au tableau.

• Ils traitent ensuite la liste **c.** dans leur cahier du jour.

a. des étoiles – une ombre – cette comète
b. la lumière – le soleil – nos rêves
c. la nuit – des perles – ce matin

> **→ TRACE**
> À la fin de ce temps de travail, lister les déterminants les plus fréquents : *le – la – les – un – une – des*. Cette liste aidera les élèves pour les exercices **2**, **3** et **4**.

2 Les élèves lisent la consigne et la liste **a**.
Leur demander si tous les groupes de mots de cette liste sont des GN. Les élèves doivent identifier que le groupe *ils dévorent* n'est pas un GN (on ne peut pas mettre *un – une – la...* devant *dévorent*).

• Ils traitent ensuite les listes **b.** et **c.** en justifiant leur choix.

b. cette plage – le bateau
c. un pays
d. la forêt – un panda

3 **1.** Les élèves peuvent travailler à deux.

Différenciation
Constituer un groupe avec les élèves qui ont des difficultés. Leur rappeler le critère d'identification du GN : le nom peut être précédé de *un – une* – etc.

a. le vélo – le gravier
b. ce virage – la place
c. des roues – une ceinture

2. Traiter d'abord la consigne en collectif au tableau.

> **→ TRACE**
> Corriger au tableau. Les élèves recopient les GN au propre, encadrent les noms noyaux et soulignent les déterminants.

4 ☆ Réserver cet exercice aux élèves qui ont traité les deux précédents sans difficulté.

1. et **2.** Les élèves travaillent à deux. Leur dire qu'il peut y avoir deux GN dans la même phrase.

a. Le jardinier – ses plantes
b. Une tempête – sa ferme
c. La petite fille – son chien
d. Mes cartes

5 Lire le point **3** de la leçon sur le rôle du déterminant dans le repérage du nombre et du genre des GN. Les élèves relisent ce point silencieusement.

> **Attention !** Un nom **peut varier en nombre** (il peut être employé au singulier ou au pluriel) **MAIS** il **ne peut pas varier en genre** (il ne peut pas être **employé** au féminin ou au masculin) car le genre appartient à la nature du nom (par exemple, le nom *garage* **est** masculin).

• **Récapituler avec les élèves les moyens d'identifier le nombre et le genre d'un nom.**
Ils peuvent coller une synthèse dans leur cahier du jour :

Pour connaitre :
– **le nombre d'un nom** : je regarde le déterminant (*le / la* = singulier ; *les* = pluriel) ;
– **le genre d'un nom** : je regarde le déterminant (*le* = masculin / *la* = féminin).

1. Compétence : **Identifier le genre d'un nom à partir de son déterminant.**

• Rappeler aux élèves ce qu'est un nom féminin et leur demander de donner des exemples.
Écrire au tableau les deux déterminants les plus fréquents : **la – une**.

• Les élèves recopient les GN au brouillon.
Mettre les réponses en commun liste après liste.
a. GN féminins :
une cuillère – une assiette – la tasse – ta serviette
Demander aux élèves quel est le genre des autres GN (masculin).
b. GN féminins :
une épée – ma soupe

6 **Distribuer le tableau photocopié.**
[en annexe du *Guide pédagogique*]

• Mettre en commun juste après chaque liste.

GN masculins	GN féminins
ton bateau **un** oreiller **le** couloir **un** paysage **un** éclair **cet** orage	**la** balance **la** pièce **sa** montre **sa** fille **la** pluie **une** feuille

• Après la mise en commun au tableau, demander aux élèves de relever les déterminants. Les entourer et faire remarquer leur diversité.

7 Compétence : **Identifier le genre d'un nom à partir de son déterminant.**

• Demander aux élèves de donner des exemples de GN singulier ou pluriel.
Écrire au tableau les deux déterminants les plus fréquents : **les – des**.

1. Les élèves recopient les GN **au brouillon**.
Mettre les réponses en commun liste après liste.

2. Écrire au tableau les GN au pluriel ; des élèves désignés viennent entourer les déterminants.

a. des acteurs – ces caméras – les projecteurs
b. des vagues – ses matelots

3. Demander aux élèves quel est le point commun entre tous les noms : ils comportent une marque **-*s***.
Les aider à formuler une justification de cette marque : les GN sont au pluriel comme l'indiquent les déterminants et, lorsqu'un GN est au pluriel, le nom comporte une marque **-*s***.

Je repère les noms propres

Les élèves lisent le point **4** de la leçon.

8 Traiter l'exercice **d'abord à l'oral**, les élèves écrivent ensuite les noms propres sur leur cahier de brouillon.
a. Olive
b. Chinois
c. Léonard de Vinci – Joconde
d. Eiffel

9 Les élèves traitent entre une et quatre phrases selon leur niveau.
Écrire **au tableau** les phrases complètes. Entourer les majuscules.
a. Sa tante s'appelle **Lydia**.
b. Elle habite à **Orléans**.
c. Les pizzas et les pâtes sont nées en **Italie**.
d. La péniche navigue sur la **Seine**.

Je manipule le groupe nominal

10 Compétence : **Construire des GN en mettant en cohérence le genre et le nombre du déterminant et ceux du nom.**

1. Préparer l'exercice à l'oral :

• Les élèves donnent le genre et le nombre de chaque déterminant et de chaque nom.
Ils indiquent comment ils les ont identifiés (pour les noms, présence de la terminaison **-*s***).

• Les laisser effectuer les associations **au brouillon**.

• Mettre en commun en notant toutes les propositions **au tableau** pour les valider ou pas :
ta table – le tableau – mes classeurs
Laisser les GN au tableau pour la partie **2** de l'exercice.

2. L'activité peut être couteuse en temps pour certains élèves : différencier le nombre de phrases à écrire.
Ta table se trouve au fond de la classe.
Le tableau est toujours propre.
Mes classeurs sont de toutes les couleurs.

11 Compétence : **Dans un texte, utiliser les déterminants qui conviennent.**

Différenciation
– Selon le niveau de la classe, passer ou pas par **un temps d'oral** au cours duquel les élèves complètent le ou les textes.
– Certains élèves **ne traitent que la phrase a**.
– Il est également possible de **donner dans le désordre la liste des déterminants** à utiliser :
a. *un – des – un – Ce* ou *Son*.
b. *une – la*
Enfin, on peut **donner la photocopie des deux textes** pour économiser le temps de copie.
[en annexe du *Guide pédagogique*]

a. Boule est **un** garçon qui possède **un** chien. **Ce / Son** chien s'appelle Bill. Ensemble, ils vivent **des** aventures amusantes.
b. **La** famille de Boule possède aussi **une** tortue qui s'appelle Caroline.

12 Préparer l'exercice à l'oral.
Écrire les noms **au tableau**.
Demander aux élèves quel est le nombre de chaque nom. Entourer les marques de pluriel.

En attendant de recevoir ses **cadeaux**, Hugo décore le **sapin**. Il place les **guirlandes** tout autour du sapin et ajoute l'**étoile** au sommet.

13 DICTÉE PRÉPARÉE

Les élèves préparent la dictée en groupes.
– Leur lire le texte.
– Ils recopient le nom *Juliette*.
– Ils recopient les GN et entourent les marques de pluriel.

le potager – des légume**s** – des courgette**s** – des poireau**x** – des haricot**s** – ma grand-mère – sa récolte – une soupe – un gratin

– Dicter le texte.

Proposition de phrases supplémentaires à dicter aux élèves

1 Poucette est grande comme un pouce.
2 Son lit est une coquille de noix.
3 L'hiver, Poucette a très froid.
4 La petite fille sauve une hirondelle.
5 L'hirondelle emporte Poucette vers les pays chauds.

Le *Guide pédagogique* contiendra le matériel à photocopier (textes, tableaux, étiquettes...)

Principe Maquette : Stéphanie Hamel et Camille Rouxel
Mise en page : Catherine de Trégomain
Responsable éditoriale : Leyla Pierre
Chef de projet : Jeanne Boyer
Éditrice : Camille Mennesson

Illustrations

Couverture : Sacha Goerg
Vignettes représentant les thèmes : Vincent Sorel
Pages d'ouverture
Méchantes et gentilles sorcières : Irène Bonacina
La Sorcière du TGV : Nicolas Hubesch

Achevé d'imprimer en Italie par STIGE
Dépôt légal n° 09352-7/01 - Février 2019